Geneviève Guilbault

sauvons les arcs-en-ciel

ANDARA

Catalogage avant publication de Bibliothèque et Archives nationales du Québec et Bibliothèque et Archives Canada

Guilbault, Geneviève, 1978-, auteure

Sauvons les arcs-en-ciel / Geneviève Guilbault ;
illustrations, Richard Petit et Danielle Tremblay
(Mini big)
Pour enfants de 7 ans et plus.

ISBN 978-2-89746-184-3

I. Petit, Richard, 1958- . II. Tremblay, Danielle, 1961- .
III. Titre.

PS8613.U494S28 2019   jC843'.6   C2018-942288-2
PS9613.U494S28 2019

4ᵉ impression : mai 2021

Idée originale de la collection : **Richard Petit**
Texte : **Geneviève Guilbault**
Illustration de la couverture : **Richard Petit**
Illustrations des pages intérieures : **Danielle Tremblay**
Graphisme : **Mika**

Dépôt légal : Bibliothèque et Archives
nationales du Québec, 1ᵉʳ trimestre 2019

ISBN 978-2-89746-184-3

Imprimé au Canada

Gouvernement du Québec – Programme de crédit d'impôt
pour l'édition de livres – Gestion SODEC
Andara éditeur remercie la SODEC
pour l'aide accordée à son programme éditorial.

info@andara.ca • www.andara.ca

À Mika,
la plus inspirante
des artistes multicolores !

Voici un petit résumé
de ce que Céleste et
Luna-Belle ont vécu lors de
leur première rencontre.

Tout a commencé
quand Luna-Belle a
demandé un cadeau

bien spécial pour
son anniversaire :
un CHEVAL !
Mais à sa grande
surprise, c'est plutôt
une LICORNE
qui est apparue
dans sa chambre.
Une magnifique bête au
pelage soyeux et aux
POUVOIRS MAGIQUES.

Depuis ce jour, Céleste et Luna-Belle sont inséparables. Bien sûr, la magnifique créature ne se promène pas dans les rues du quartier sous sa forme habituelle! Non, Céleste possède un talent bien particulier: elle peut se transformer en peluche pour passer inaperçue. Plutôt pratique, n'est-ce pas?

★ ★ ★ ★ ★ ★ ★ ★

Quand la nuit tombe et que tout le monde est endormi, Céleste redevient une VRAIE LICORNE, grande et puissante. Luna-Belle grimpe alors sur

son dos, et les deux amies prennent leur envol, à la recherche de nouvelles aventures.

C'est parti !

Chapitre 1
Pareilles, pas pareilles, les chaussettes ?

L'école est terminée !

YOUPI !

Pour célébrer
le début des vacances,
les parents de Luna-
Belle lui ont préparé
une JOURNÉE
FANTASTIQUE.
Voici ce qu'il y a
au programme :

☆ promenade à vélo

☆ pique-nique au parc

☆ baignade dans les jeux d'eau

☆ arrêt chez le marchand de glaces

☆ dodo sous la tente

Luna-Belle est vraiment **EXCITÉE**.

Elle a le droit
d'inviter une copine.
Évidemment,
elle a choisi Sabrina,
sa meilleure amie
(humaine!) de tous
les temps. Maintenant
qu'elle est levée,
habillée et prête à
partir, elle s'empresse
de lui écrire.

Salut, Sabrina ! As-tu fini de te préparer ? On va bientôt passer te chercher.

Sabrina

Je ne pourrai pas venir, finalement.

Ha! Ha! Très drôle!

Ce n'est pas une blague...

Voyons, Sabrina. On attend cette journée depuis des semaines! C'est le DÉBUT DES VACANCES! On doit fêter ça!

Sabrina

Je sais, mais mes parents insistent pour qu'on aille chez l'optométriste immédiatement.

Luna-Belle

Le QUOI ?

Sabrina

L'optométriste. C'est le spécialiste des yeux.

Pourquoi ? Qu'est-ce qu'ils ont, tes yeux ?

Ils ont un petit problème depuis hier soir. Écoute, je dois y aller, d'accord ? Papa et maman m'attendent.

Tu me racontes tout à ton retour ?

Promis !

Luna-Belle se fait du **souci** pour son amie. Elle aurait aimé lui poser un tas de questions, mais Sabrina semblait pressée. Elle éteint donc son iPod et rejoint ses parents dans la cuisine, le visage long.

— Quelque chose te tracasse, ma choupinette? lui

demande son père
en voyant son air
déprimé.

— Sabrina a
un rendez-vous,
annonce-t-elle avec
déception. Est-ce
qu'on peut remettre
notre sortie à
plus tard ?

— Pourquoi cela, ma chérie? dit sa mère en se servant un bol de céréales. On peut quand même avoir du plaisir tous les trois, tu ne crois pas?

Luna-Belle hausse les épaules, hésitante. Elle se fait du souci pour Sabrina. Mais comme elle ne peut pas l'aider, elle décide de profiter de sa journée.

— D'accord, articule-t-elle enfin. Allons-y.

La jeune fille avale un bon petit

déjeuner et court
préparer son sac à
dos, de meilleure
humeur. Elle doit
tout emporter si
elle veut que
cette activité soit
PARFAITE :
son iPod pour
prendre un tas
de photos, son maillot,

sa serviette, sa crème solaire, sa casquette et, bien évidemment,

CÉLESTE !

Les parents de Luna-Belle ignorent que Céleste est une **VRAIE** licorne qui a le pouvoir

de se transformer
en peluche.
Heureusement,
parce que Céleste
devrait probablement
quitter la maison
s'ils venaient à
le découvrir. Seule
Sabrina est au
courant de ce petit
secret.

— Hum, es-tu certaine de vouloir apporter un jouet ? demande sa mère en pointant la jolie peluche blanche. J'aurais peur de l'abîmer, si j'étais toi. Ou **pire**, de l'égarer !

— Je vais en prendre
soin, maman.
Tu sais à quel point
je suis attachée
à Céleste.

— Oh oui, répond
madame Beausoleil
en faisant un clin
d'œil à sa fille.

Tu la traînes partout,
tout le temps.

— Exactement !
Cette licorne
et moi, on est
INSÉPARABLES !
Luna-Belle referme
son sac à dos en
laissant dépasser
la tête de Céleste.

Ainsi, la licorne pourra voir tout ce qui se passe pendant la balade à vélo.

— Voilà ! déclare-t-elle en glissant son sac sur ses épaules. Je suis prête. On peut y aller.

— Et tu comptes te promener avec deux **chaussettes dépareillées**? lâche son père en rigolant. Tu lances une nouvelle mode? Luna-Belle regarde ses pieds et fronce les sourcils.

— Qu'est-ce que tu racontes, papa? riposte-t-elle avec sérieux. Mes deux chaussettes sont **identiques**.

— Ah oui? Eh bien, mes yeux doivent me jouer des tours, dans ce cas.

Monsieur et madame Beausoleil se donnent un coup de coude amusé et sortent de la maison en souriant. La jeune fille examine ses pieds avec insistance.

— Je ne comprends pas, murmure-t-elle, embêtée. Mes deux chaussettes sont bien **noires...**

Luna-Belle hausse les épaules en se disant que ses parents sont

peut-être encore
un peu ensommeillés.
Elle a **trop hâte**
de partir pour s'en
faire avec un tel détail.

Un détail qui,
pourtant, marque
le début d'une
aventure qui lui

en fera voir
de toutes
les couleurs !

Chapitre 2

Attention,
Luna-Belle !
DANGER !

Luna-Belle **ADORE** se promener à vélo. Elle **AIME** sentir le vent caresser son visage. Elle **AIME** voir le paysage défiler sous ses yeux. Et surtout, elle **AIME** pédaler vite, vite, vite !

La piste cyclable qui mène au parc longe une magnifique forêt. Elle y aperçoit souvent des petites bêtes comme des écureuils, des lièvres et parfois même des marmottes.
Mais ce qu'elle préfère, c'est de réussir

à observer un animal
plus GROS
tel qu'un cerf
ou un renard.

— **Moins vite,
ma chérie !**
lui crie sa mère,
qui roule juste
derrière elle.

Ce n'est pas une
course.

Luna-Belle ralentit.
Sa maman a raison :
elle a toute la journée
devant elle. Au bout
d'un moment,
la piste dévie vers la
droite et s'éloigne de
la forêt. Le parc est

tout près !
Il faut seulement
traverser l'intersection,
franchir le pont et
descendre la petite
côte. Ensuite,
elle pourra jouer !

Luna-Belle ralentit
jusqu'au boulevard,
et lève la tête vers

le feu de circulation.
Puis, elle reprend
son élan et avance
en direction
de la rue.

**– HÉ !
ATTENTION !**

Son père l'agrippe
par le bras, et
la tire vers lui
d'un mouvement sec.
Luna-Belle empoigne
le guidon de son vélo,
et tombe par terre
à quelques pas
de la chaussée.
Au même instant,

un camion passe à
fond de train.

VROUUUUUM !

Luna-Belle sent
son cœur battre très
fort dans sa poitrine.
Qu'est-ce qui vient de
se passer ? Elle aurait
pu **MOURIR !**

Elle s'éloigne
de la rue, les jambes
molles, et s'assoit
finalement sur le sol
pour retrouver
ses esprits.

— Tu as failli te faire
ÉCRASER!
s'exclame madame
Beausoleil, les yeux

exorbités. Qu'est-ce qui t'a pris ?

— Je… je suis un peu confuse… murmure la jeune fille en se tenant la tête entre les mains. J'ai pourtant bien regardé. Vous savez

que je m'arrête
TOUJOURS
au feu rouge.

— Eh bien, pas
cette fois-ci, note
son père d'une voix
tremblotante.
Tu nous as fait une de
ces **frousses**!

— Je suis désolée…

Entourée de
ses parents, Luna-
Belle prend quelques
minutes pour se
remettre de ses
émotions. Puis, elle
enfourche son vélo
et lève les yeux vers
le feu de circulation.

— C'est **rouge**, ma choupinette, lui dit sa mère d'un ton ferme. Attendons.

Luna-Belle plisse les paupières.

— Mais non, réplique-t-elle

en mettant sa main en visière au-dessus de ses yeux pour se protéger du soleil. Ce n'est pas **rouge** du tout. C'est… c'est **gris ?** Ben voyons… Comment le petit rond peut-il être gris ? ajoute-t-elle à voix basse.

— Allez, lâche
monsieur Beausoleil,
qui ne semble pas
avoir entendu les
réflexions de sa fille.
Ça vient de passer
au vert. Traversons.

Luna-Belle suit ses
parents sans ajouter

un mot. Elle se
questionne sur
les derniers
événements. Qu'est-il
arrivé au feu? Est-il
défectueux? Tout
ceci est vraiment
très étrange...

La jeune fille
continue à rouler

et oublie vite ses
soucis. Le parc est
juste devant !
Une fois sur place,
elle installe une
grande couverture
au sol tandis que
ses parents
s'occupent de sortir
le pique-nique :

des sandwichs au
jambon, des salades,
des légumes et
des craquelins.

Miam !

Luna-Belle est
AFFAMÉE !

Elle ouvre un contenant
et plisse le nez
de dégoût.

– Qu'est-ce que C'EST ?

grogne-t-elle en reniflant le plat avec méfiance.

— C'est une salade de **tomates** et de **concombres**, répond sa mère

d'un ton amusé.
C'est ta préférée.

– Ah oui ?
Et qu'est-ce qu'elles
ont, les tomates ?
Elles sont périmées ?

— Mais non,
elles sont très belles,
intervient son père

en étirant le cou
pour les inspecter.
Elles sont bien
rouges et bien
sucrées, comme
d'habitude.

Luna-Belle est
vraiment,
VRAIMENT
inquiète !

Que se passe-t-il avec ses yeux depuis ce matin ? Doit-elle paniquer ? Tout raconter à ses parents ? **Ah !** si Sabrina était là, au moins, elle pourrait avoir son avis ! Mais non, elle est partie faire examiner ses...

OH! Faire EXAMINER ses YEUX!

Luna-Belle sort son iPod et s'empresse d'écrire à son amie.

Chapitre 3

Violet, indigo, bleu, vert, jaune, orange et... c'est tout?

Luna-Belle

Es-tu revenue de
ton rendez-vous?

Sabrina

Non, je suis
encore dans
la salle d'attente.
C'est loooong!

Écoute, je dois ABSOLUMENT savoir pourquoi tu dois rencontrer l'optométriste. Quel est ton problème, au juste ?

Sabrina

Je te l'ai déjà dit, mes yeux me jouent des tours depuis hier soir.

Oui, mais QUEL GENRE de tours?

Je distingue mal les couleurs.

TOUTES les couleurs ou seulement le rouge?

Seulement le rouge.
Comment le sais-tu?

J'ai le même problème! J'ai failli me faire écraser par un camion tout à l'heure parce que je n'ai pas vu que le feu était rouge.

Sabrina

QUOI ? J'espère que tu vas bien !

Luna-Belle

Oui, oui. Mon père m'a sauvée juste à temps. Mais ce n'est pas normal, je te le dis !

Sabrina

Je suis d'accord avec toi. Oh! Je dois y aller, l'optométriste vient de m'appeler.

Luna-Belle

Parfait! De toute façon, je dois te laisser, moi aussi. Tu me tiens au courant?

Absolument!

Luna-Belle
éteint son iPod
sous le regard
désapprobateur
de ses parents.
Ils n'aiment pas
qu'elle s'en serve
pendant les repas.

Ni pendant les autres
activités familiales,
d'ailleurs. La jeune
fille le range dans
la pochette de
son sac à dos en leur
promettant de
le garder fermé.

— Je croyais qu'il
devait faire beau

toute la journée,
se plaint madame
Beausoleil en levant
les yeux vers le ciel,
une fois qu'elle a
fini de manger.
Ce gros nuage nous
apporte de la pluie,

j'en ai bien peur.
On devrait rentrer.

— Non ! s'écrie
Luna-Belle. Je veux
rester ! Je n'ai pas eu
le temps d'explorer
les jeux d'eau.

— Dépêche-toi,
dans ce cas,

lui accorde son père.
Sinon, on risque de
se faire prendre par
l'averse sur le chemin
du retour.

Luna-Belle pousse
un cri de joie.
Elle empoigne
son sac à dos et court
jusqu'à la salle

des toilettes
du parc pour
se changer.

— On va bien
s'amuser, Céleste,
chuchote-t-elle à
son amie la licorne.
J'aimerais que
tu puisses être
toi-même,

mais on risque
d'attirer l'attention,
n'est-ce pas?
Ce n'est pas grave.
L'important, c'est
qu'on soit ensemble.
J'espère que ça ne
te dérange pas
d'être mouillée.

La jeune fille sort
de la cabine en
souriant, prête
à s'élancer dans
les jets d'eau.
Une fois à l'extérieur,
elle s'arrête, les yeux
écarquillés
de surprise.

— Un **arc-en-ciel** !
s'exclame-t-elle avec
joie. **J'ADORE**
les arcs-en-ciel !
Tu as vu ça,
Céleste ? **Il est
magnifique !**
Il est… il est…
oh ! il est un peu
différent, tu es
d'accord ?

Luna-Belle pointe
les couleurs et
les énumère à voix
haute :

— **Violet,**
indigo,
bleu, vert,
jaune,

orange et… c'est tout. Il manque

le rouge…
AH NON !
PAS ENCORE !

J'espère que
les arcs-en-ciel
ne sont pas en

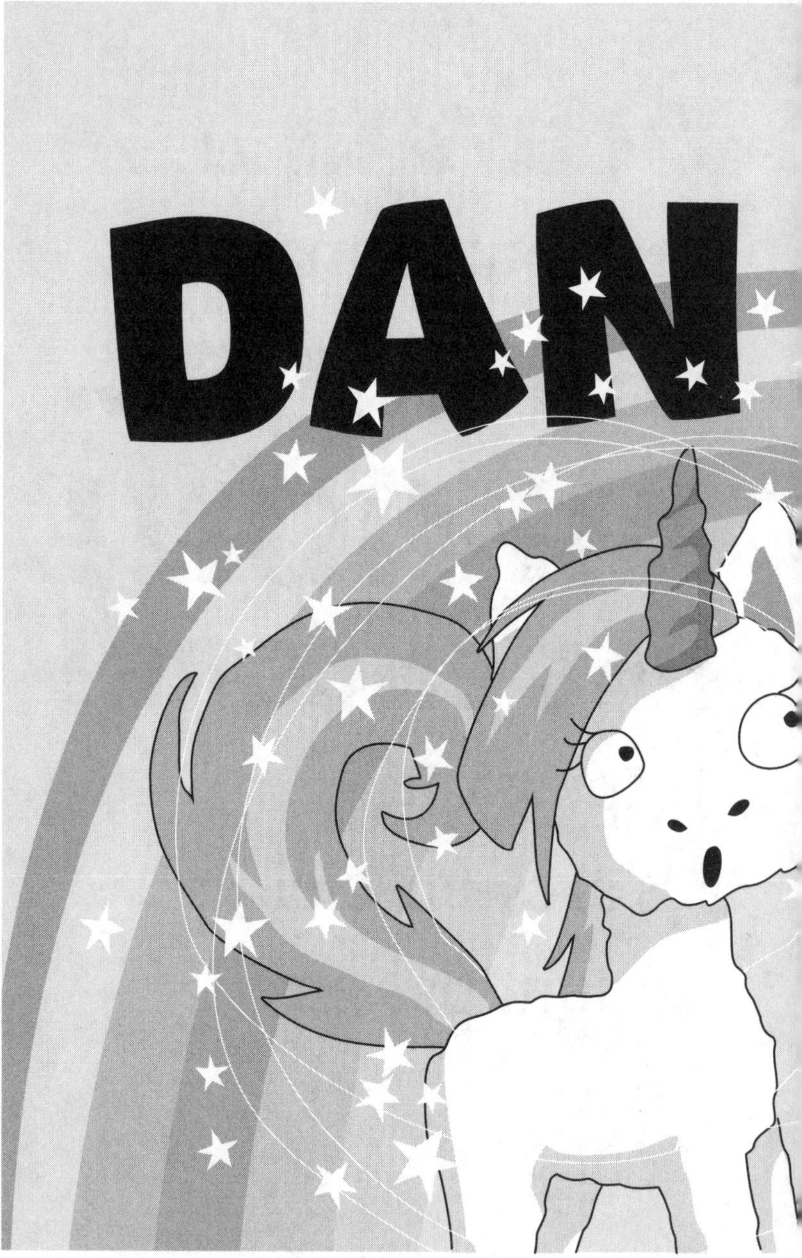
DAN

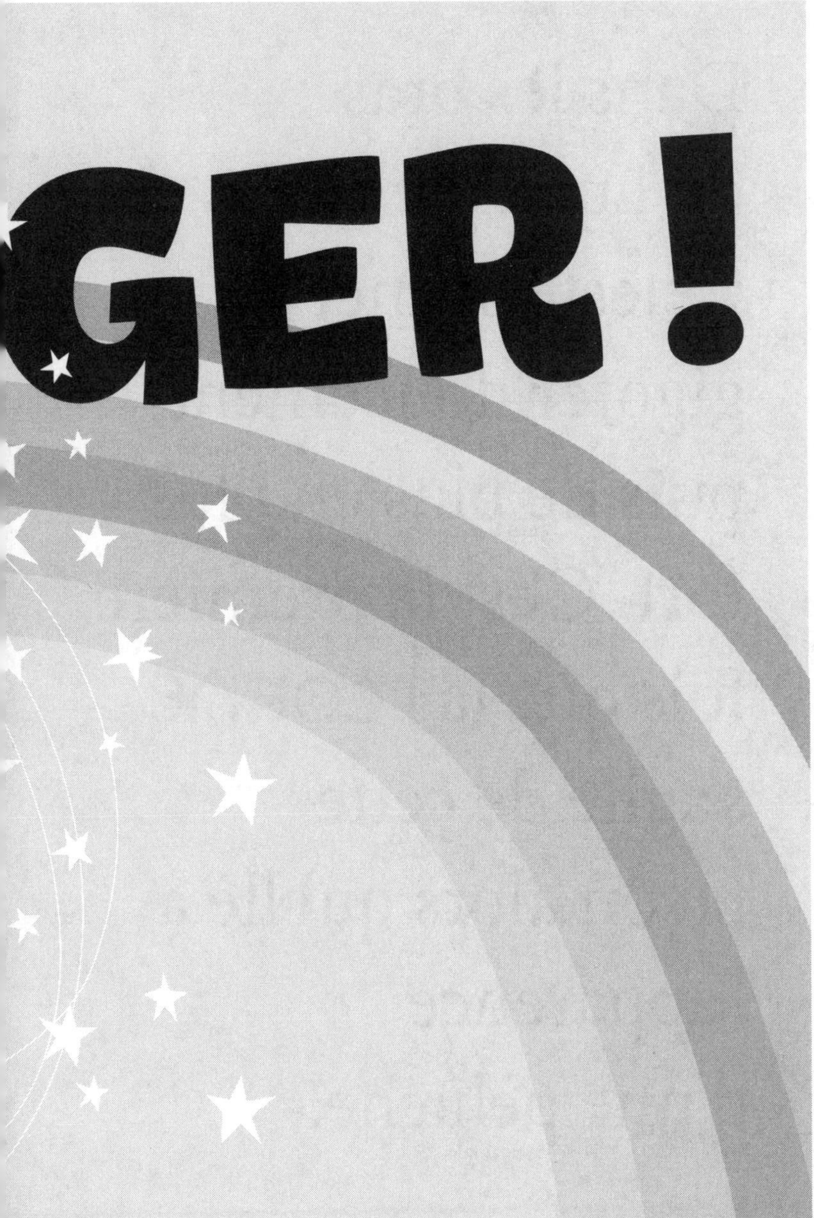
GER!

Dans les bras
de Luna-Belle,
Céleste se met à
gigoter doucement,
puis de plus en plus
fort. C'est la première
fois que la licorne
s'agite de cette
façon alors qu'elle a
l'apparence
d'une peluche.

Luna-Belle comprend que son amie a quelque chose **D'IMPORTANT** à lui dire.

— Rentrons à la maison ! déclare-t-elle d'un ton **paniqué**.

Chapitre 4

Un **DRÔLE** de phénomène !

Luna-Belle pédale **à toute vitesse** en direction de sa maison, tout en observant les alentours d'un œil attentif. Les voitures, les vêtements des piétons, les panneaux de signalisation…

RIEN de ce qu'elle croise n'est rouge !

Le plus étrange dans tout ça, c'est que ses parents ne semblent pas réaliser qu'un **DRÔLE DE PHÉNOMÈNE** est en train de se produire. Comment est-ce possible ?

Une fois chez elle, Luna-Belle se précipite dans sa chambre et referme la porte. Elle dépose sa peluche au sol et la regarde **grossir...**

Grossir...
GROSSIR !

Jusqu'à ce qu'elle redevienne ce magnifique animal que Luna-Belle aime tant : une SPLENDIDE licorne au pelage

plus blanc que
la neige et plus
brillant
qu'un diamant.
Sa transformation
terminée, Céleste
agite la tête de tous
les côtés et lance
d'un ton affolé :

– ENFIN !

J'avais hâte de pouvoir te parler ! Qu'est-ce qui se passe avec les couleurs ? Tu as vu **l'arc-en-ciel ?** On ne voit plus le rouge ! **C'est mauvais...**

C'est TRÈS, TRÈS mauvais !

— Oui, c'est ce que je crois aussi, affirme Luna-Belle. J'espère seulement que ce n'est pas trop grave.

Céleste trotte un moment dans

la chambre en poussant quelques soupirs. Finalement, elle cligne des yeux et fait apparaître un minuscule arc-en-ciel, comme elle sait si bien le faire. Malheureusement, l'arc lumineux est

incomplet, comme
celui du parc.

— OK. Ça suffit! On va
faire un tour dans
l'espace. Je suis sûre
que Danaé pourra nous
aider. Allez, monte!

Danaé est la mère
des fées. Il n'est pas
rare qu'elle donne

un coup de main aux deux amies lorsqu'elles ont besoin de magie.

— **QUOI** ?

Maintenant ?

— Oui ! Le temps presse !

— Je ne peux pas y aller tout de suite,

déclare Luna-Belle
en caressant
le museau de
sa licorne.
C'est encore le jour.
Mes parents risquent
de s'inquiéter
si je disparais
sans explication.

— Ah oui, c'est vrai,
admet Céleste,

un peu plus calme.
On ne veut pas
leur faire peur
inutilement…
Voici ce que
je propose :
je pars toute seule
rencontrer **les fées
des nuages**, et
je reviens le plus vite
possible, ça te va ?

— D'accord. On se revoit plus tard. Sois prudente, surtout.

– PROMIS !

Luna-Belle ouvre la fenêtre de sa chambre et regarde Céleste s'élancer dans le ciel. Elle est si jolie

lorsqu'elle déploie
ses ailes ! Si grande,
si majestueuse !
La jeune fille
l'observe jusqu'à
ce qu'elle ait
complètement
disparu.
Puis, elle court
demander une petite
faveur à ses parents.

Une fois que c'est fait,
elle retourne écrire
à Sabrina.

Luna-Belle

Peux-tu venir chez
moi? C'est important!

Sabrina

Attends, je vérifie
auprès de ma mère.

Luna-Belle

Je t'invite même
à dormir ici.

Sabrina

Cool!

Sabrina

Donne-moi
une seconde...

Sabrina

C'est bon,
elle accepte!
Je serai chez toi
dans quelques
minutes.

Luna-Belle

Super! Je crois qu'on
va avoir une nuit TRÈS
intéressante.

Pendant qu'elle attend Sabrina, Luna-Belle inspecte sa chambre du regard. Les affiches sur ses murs sont beaucoup moins jolies sans le **ROUGE** éclatant qui orne

habituellement
la selle des chevaux.
Et ses vêtements
lui semblent bien
ternes depuis que
le **BLEU** a
disparu…

QUOI ? LE BLEU ?

Luna-Belle se frotte les yeux pour s'assurer qu'elle a bien vu. Le **BLEU** s'est volatilisé à son tour. Elle se penche à la fenêtre et constate que le ciel est aussi gris que la pierre. Son t-shirt

est gris, son crayon
préféré est gris et sa
couverture est grise.

– MAIS C'EST TERRIBLE !

s'écrie-t-elle en
s'assoyant sur
son lit, la tête entre
les mains.

— Qu'est-ce qui est terrible, ma choupinette ? s'enquiert monsieur Beausoleil en entrant dans la pièce, l'air inquiet.

– Tout **CECI** !

fait la jeune fille en désignant sa chambre d'un mouvement du bras. Tu vois ?

– **Euh...** Qu'est-ce que je suis censé voir, au juste ?

Luna-Belle
se demande
POURQUOI
ses parents ne
perçoivent pas
le changement
des couleurs.
C'est pourtant
si évident !
Elle pourrait en

glisser un mot
à son père, mais
elle préfère attendre
que Céleste revienne
du royaume des fées
des **nuages**.

— C'est un vrai
fouillis, déclare-
t-elle en ramassant

un t-shirt
qui traîne
par terre.
Je dois faire
le ménage avant
que Sabrina arrive.

— Bon, d'accord.
Mais tu peux
retrouver le sourire :
tu auras vite terminé.

Une fois seule, Luna-Belle ramasse quelques vêtements qui traînent ici et là. Elle a l'impression que son amie met **DES HEURES** à la rejoindre, tellement elle est pressée de la voir.

— Te voilà enfin ! lance-t-elle lorsque Sabrina arrive, quelques minutes plus tard. Alors, qu'est-ce qu'il a dit, l'optométriste ?

Chapitre 5
La DISPARITION de la pierre éclatante

Luna-Belle
attend en silence.
Elle a **hâte** de
savoir ce que
le spécialiste pense
des yeux de Sabrina.
Cette dernière
s'assoit sur une
chaise, et explique
d'un air abattu :

— Il m'a fait passer
une série de tests.

— Et ?

— C'est la première
fois qu'il voit
un tel phénomène
se produire.
Ça s'aggrave, Luna.

Je ne parviens même plus à voir **le bleu !**

— Pareil pour moi.

— Pour vrai ?

Est-ce que ça signifie que toutes les couleurs vont finir par **DISPARAÎTRE ?**

On ne verra plus
le monde qu'en
noir et blanc ?
Pourquoi ?

— Je l'ignore, avoue
Luna-Belle. Mais
si ça peut te consoler,
sache que Céleste est
partie à la recherche
d'informations.

J'imagine qu'elle pourra nous en dire plus à son retour.

Sabrina retrouve un peu de sa bonne humeur. La jeune fille **ADORE** Céleste. Elle est toujours très

heureuse de passer
du temps avec elle
et de caresser
sa douce crinière.
Pressée de la voir
arriver, elle s'approche
du rebord de la
fenêtre et s'écrie :

– YOUPI !
La voilà !

– Déjà ?

Sabrina recule
de quelques pas
pour libérer la voie
à Céleste, qui atterrit
avec grâce dans
la chambre.
Puis, elle la
BOMBARDE
de questions :

— Comment c'était,
dans les cieux ?
Tu t'es bien amusée ?
Tu es tombée
sur un tas de
**créatures
étranges** ?
Tu as volé vite ?
Tu as fait
des pirouettes
dans les airs ?

— Relaxe, intervient
Luna-Belle,
un large sourire
aux lèvres. Laisse-lui
le temps de respirer.

— Oui, désolée.
Je suis juste **trop
contente** !

Céleste secoue
la tête, et hennit
un petit coup.
Puis, elle se met
à taper le sol avec
ses sabots. Luna-
Belle ne l'a jamais
vue aussi nerveuse !
Elle doit tenter
de l'apaiser. Si elle

continue à s'agiter ainsi, elle va attirer l'attention de ses parents. Pour **rien au monde** elle ne voudrait qu'ils entrent dans la chambre en ce moment !

— Tout doux, tout doux… murmure-t-elle d'une voix réconfortante. Qu'est-ce qui cloche, ma belle ?

— Les fées des **nuages** sont en **ÉTAT D'ALERTE !**

annonce la licorne, paniquée. Quelqu'un a volé la pierre éclatante ! Personne ne sait où elle est. C'est la **PIRE CATASTROPHE** de tous les temps ! Le monde entier risque d'être privé de couleurs !

— Du calme, fait Luna-Belle. Tu parles trop vite, on ne comprend rien à ce que tu racontes.

— C'est parce que la situation est **GRAVE!**

— Oui, ça, je l'ai saisi. Mais si tu veux qu'on t'aide, tu dois nous expliquer clairement le problème.

— Tu viens de dire que le monde risque d'être privé de couleurs,

marmonne Sabrina
d'un air songeur.
C'est ça ? C'est ce
qui est en train de
se produire ?

– Exactement.
Toutes les couleurs
qu'on voit sont
fabriquées grâce
à une petite pierre

magique, répond
Céleste en retrouvant
son sang-froid.
On l'appelle la pierre
éclatante. Depuis
sa création, ce
précieux objet est
gardé par les fées
des **nuages**.
Elles s'assurent
qu'il est en sécurité

et que personne
ne s'en approche.

— Et si quelqu'un
s'en empare…
souffle Luna-Belle,
la gorge serrée.

— … on assiste
à la disparition

des couleurs,
complète Céleste.

– Mais c'est TERRIBLE !

s'indigne Sabrina.
Que deviendront
les arcs-en-ciel ?

— Ils finiront par
s'évaporer également.

Luna-Belle est sous
le choc. Elle n'arrive
pas à s'imaginer
la vie sans ses teintes
magnifiques.
De quoi aura l'air
le ciel sans son voile
rosé du matin,
sans ses journées
d'un bleu apaisant?

Qui aura envie
de manger des fruits
et des légumes
s'ils sont aussi ternes
qu'un tas de roches?
Comment réagiront
les gens lorsque
leurs maisons,
leurs voitures et
leurs vêtements

seront **TOUS DE LA MÊME COULEUR ?**

Luna-Belle a même une pensée pour ses parents et se demande comment ils vont accueillir cette triste nouvelle...

— Au fait, pourquoi
mon père et ma mère
n'ont-ils **RIEN**
remarqué?

— Les miens
non plus, constate
Sabrina en levant
un sourcil.
Ni l'optométriste,
d'ailleurs.

— C'est tout à fait normal, assure Céleste. Les enfants sont beaucoup plus sensibles aux couleurs que les adultes. Mais leur tour viendra si on n'agit pas **TRÈS VITE**.

Selon les prédictions de Danaé, on risque de tout voir en **noir** et **blanc** d'ici quelques jours. On ferait bien de se dépêcher. Tu viens avec nous, Sabrina ?

– QUOI ?
MOI ?

dit la jeune fille avec étonnement. Sur **TON** dos ?

— Oui ! On a **besoin de toi** pour mener à bien notre mission.

— Euh… OK.

Chapitre 6

Le royaume des fées des nuages

Céleste aimerait
partir tout de suite,
mais Luna-Belle
préfère attendre
que ses parents
soient endormis.
Elle ose à peine
imaginer leur réaction
s'ils entraient dans
sa chambre pour
y trouver un **LIT**

176

VIDE !

— C'est trop long ! se plaint la licorne en tournant en rond. On doit y aller, le **VERT** est en train de disparaître à son tour.

– C'EST VRAI, confirme Sabrina en examinant la décoration de la pièce. Ça commence à être déprimant par ici.

Luna-Belle ne sait pas quoi faire.

Elle ne veut pas inquiéter ses parents, mais elle sait qu'elle doit agir **VITE!** Un monde sans couleurs, c'est la chose la plus

TERRIBLE

qui pourrait leur arriver.

Des films en noir et blanc? **SANS INTÉRÊT !**

Des bonbons gris? De la barbe à papa grise? Du chocolat gris? **OUACHE !**

Des lacs, des forêts, des rivières et des montagnes sans

un soupçon de vert
ou de bleu ?
Des oiseaux sans
leur joli plumage ?
Des fruits et
des légumes sans éclat ?
NON MERCI !
Les merveilles
de la Terre sont trop
incroyables pour

qu'on permette
à un **vilain
voleur**
de s'emparer de
leurs couleurs.

Luna-Belle fait
signe à ses amies
de patienter, et sort
de sa chambre
d'un pas déterminé.

Elle rejoint
ses parents dans
le salon, fait
semblant de bâiller
et leur dit d'une VOIX
endormie :

— Bonne nuit, papa.
Bonne nuit, maman.

— Vous allez déjà
au lit ? demande

madame Beausoleil, **étonnée** de voir sa fille se coucher si tôt. Je croyais que vous vouliez dormir sous la tente.

— Peut-être demain. Je suis très fatiguée, et Sabrina aussi.

— D'accord,
comme vous voulez.
On baissera le son
de la télé pour ne pas
vous déranger.

Luna-Belle se penche
pour donner un
bisou et un câlin à
ses parents,

et retourne auprès
de ses amies.

— La voie est libre !
déclare-t-elle en
refermant la porte
derrière elle. On peut
partir !

VITE, grimpez sur
mon dos.

– **Quoi,** maintenant ?
hoquette Sabrina.
Sans **AUCUNE**
préparation ?
Je ne suis **JAMAIS**
montée sur une
licorne auparavant,
moi. Je ne sais pas
trop comment m'y
prendre. Je propose

qu'on fasse un petit
test avant de nous
élancer dans l'espace.

— On n'a pas
de temps pour ça ! la presse Céleste.

— Oui, mais je
risque de glisser,

continue Sabrina,
de plus en plus
agitée. Et si je
M'ÉCRASAIS
au sol ?

— Du calme,
dit Luna-Belle
d'une voix qu'elle veut
apaisante. Tout ira
bien, tu verras.

Et si tu tombes, Céleste te rattrapera, d'accord ? Elle est super douée pour ça. J'ai chuté plusieurs fois, et elle a toujours réussi à me sauver.

— Ah oui ? Euh… **OK**. Je ne sais pas

si je dois trouver
ça rassurant ou
effrayant.

Sabrina prend
finalement
son courage à
deux mains et
grimpe sur le dos
de la licorne.

Elle s'agrippe
de toutes ses forces
à la jolie crinière
pendant que
Luna-Belle s'installe
derrière elle.

C'EST PARTI !

Céleste bondit par
la fenêtre, et se lance

dans le vide.

Elle déploie ses ailes et les agite de bas en haut afin de monter le plus rapidement possible.

– Ohhhh...

murmure Sabrina, la bouche grande

ouverte. La ville est **TELLEMENT BELLE**, vue d'ici ! Les lumières des voitures sont si petites qu'elles ressemblent à des étoiles.

— Attends qu'on soit plus haut, lui souffle

Luna-Belle. Tu n'en croiras pas tes yeux.

La licorne s'élève dans les cieux et vole vers l'infini. Luna-Belle a voyagé à plusieurs reprises dans l'espace et, chaque fois, elle s'est régalée du paysage qui défilait à toute vitesse. Elle adore observer les comètes, visiter les planètes et faire la connaissance de créatures plus magiques les unes que les autres.

— Regarde ! s'écrie-t-elle en pointant droit devant. On arrive au royaume des fées des **nuages**. Ces petits êtres portent bien leur nom, puisque leur palais flotte sur un lit de **nuages**.

IL EST IMMENSE !

Il compte
des dizaines de tours,
des centaines de
fenêtres et une
quantité incroyable
d'**arcs-en-ciel**,

de boules
scintillantes et
d'étoiles filantes.

Tandis que
les trois amies
s'approchent
du palais, un pont-
levis s'abaisse pour
les laisser entrer.

Luna-Belle et Sabrina posent les pieds sur le sol moelleux, et Danaé ne tarde pas à venir les accueillir.

– **Vite !** dit-elle en leur faisant signe d'avancer. On n'a pas de temps à perdre.

Danaé se dirige vers une grande salle lumineuse. Au centre de la pièce se trouve une table sur laquelle…

… IL N'Y A RIEN !

La mère des fées
pointe la table
et répète ce qu'elle
a déjà expliqué à
Céleste :

— C'est ici qu'on
gardait la pierre
éclatante
avant qu'on nous la vole,

articule-t-elle d'une voix pleine d'émotions. D'après ce que m'ont raconté les responsables de la sécurité, une **CRÉATURE** *plus rapide* que l'éclair s'en serait emparée.

— Quelqu'un
l'a aperçue ?
s'informe Luna-Belle.
Sait-on à quoi
elle ressemble ?

— Non,
malheureusement.
Mais on a quand
même découvert
un indice important.

Danaé ouvre la main et dévoile un petit objet grisâtre.

— C'est de la lave durcie, leur apprend-elle gravement. Elle provient du **Volcan noir**.

Je crois que notre
voleur en avait sur
lui et qu'il en a laissé
tomber sur son
passage. On doit
se rendre sur place.

— Au Volcan noir ?
demande Sabrina,
les yeux ronds.
Je… j'hésite…

C'est très **LOIN** d'ici, non ? Et c'est très **DANGEREUX** aussi. Il s'agit du volcan le plus haut, le plus gros et le plus puissant **DE L'UNIVERS**. Es-tu sûre que c'est une bonne idée ?

— On n'a pas le choix, chère humaine, répond Céleste avec autorité. On doit **ABSOLUMENT** retrouver la pierre éclatante.

— Je viens avec vous, annonce Danaé.

La licorne plie les pattes de devant pour inviter les deux filles à grimper sur son dos. Puis, le petit groupe s'élance dans les cieux.

— Comment fais-tu pour

demeurer calme ?
souffle Sabrina
à l'oreille de son amie.
On dirait que
je suis la seule à
avoir peur…

— Je suis
TERRIFIÉE,
avoue Luna-Belle.

Mes bras et
mes jambes sont
si crispés que
J'AI MAL
PARTOUT.

— Tu crois
qu'on va s'en sortir
vivantes ?

— Je l'ignore.

On verra bien...

Chapitre 7

Un Volcan noir de toutes les couleurs !

Heureusement, les craintes de Luna-Belle et de Sabrina s'évaporent rapidement. Le trajet à dos de licorne se déroule dans le calme le plus complet.

Céleste avance
à toute vitesse,
sans cesser de battre
des ailes et sans
mettre en péril
une seule fois
la sécurité de
ses passagères.

Juste à côté,
Danaé suit le rythme

sans difficulté,
malgré sa petite taille.

Luna-Belle se dit
que ça doit être
incroyable
d'être une fée
des nuages !
Elle aimerait bien
réussir à se déplacer

de cette façon,
elle aussi.

— On va commencer
la descente, les filles,
annonce Céleste au
bout d'un moment.
Tenez-vous bien !

Luna-Belle et Sabrina
s'accrochent
de toutes leurs
forces tandis que
la licorne pique
du nez en direction
de la Terre.
Le groupe quitte
lentement l'espace.
La noirceur et

les étoiles font place
à un ciel lumineux,
parsemé de
nuages.
Luna-Belle a
l'impression que
les **couleurs**
sont un peu plus
présentes de
ce côté de
la planète.

— Nous sommes presque arrivées au **Volcan noir**, dit Danaé en indiquant sa droite. Regardez, on aperçoit son sommet.

Luna-Belle est fascinée. Plus elle avance, plus

les couleurs sont **VIBRANTES**.

Le ciel retrouve
sa teinte bleutée,
les feuilles des arbres
sont vertes à nouveau
et le plumage
des oiseaux
se démarque par
sa magnifique
palette.

— Avez-vous vu ça ?
s'exclame Sabrina
en désignant le haut
du volcan. Il y a un
arc-en-ciel qui
s'échappe du cratère !
C'est possible, ça ?

– Non ! répond
Danaé d'un air
soucieux. Je crois

qu'on vient de
retrouver la pierre
éclatante. Allons
la chercher.

— La chercher ?
répète Sabrina
d'une voix aiguë.
À l'intérieur ?
C'est une blague ?
Vous voulez

pénétrer **DANS** ce truc? Il peut entrer en éruption à tout moment. Et on ignore quel genre de créature s'y cache! On sera peut-être même **DÉVORÉES VIVANTES!**

Luna-Belle
comprend que
son amie soit
effrayée – pour être
honnête, elle n'est
pas très rassurée
elle non plus –,
mais la situation
est grave.
Il faut agir.

— On n'a pas vraiment le choix, Sabrina.

– Mais bien sûr qu'on a le choix! On peut faire demi-tour et rentrer sagement à la maison.

– C'est impossible, tu le sais bien. Céleste et Danaé nous protégeront. Elles sont dotées de fabuleux pouvoirs magiques.

— Je refuse
de laisser ce

monstre

s'emparer de toutes
les couleurs, lâche
Céleste en battant
des ailes pour aller
encore plus vite.

Accrochez-
vous bien !

La licorne baisse la tête, et pique en direction du **GIGANTESQUE** arc-en-ciel.

Elle descend, descend, descend… et pénètre dans l'immense cavité.

Luna-Belle et Sabrina sont

si éblouies
qu'elles doivent
plisser les yeux.
L'endroit est rempli
de lumière et
de couleurs. C'est
de toute beauté !

Céleste longe
prudemment

la cheminée, suivie
de près par Danaé.

— On approche ! clame-t-elle avec enthousiasme. L'arc-en-ciel gagne en puissance !

La jolie bête ralentit sa course et pose

les pattes sur le sol. La **pierre éclatante** est bien là, installée sur une grosse roche, faisant jaillir des rayons de couleur. Luna-Belle aimerait s'en emparer, mais elle a peur de se brûler les doigts. Elle ignore si la pierre est **dangereuse**.

— Où te caches-tu, **vilain voleur ?** demande Céleste d'une voix forte. Montre-toi, si tu es courageux !

L'endroit semble
désert. Ça tombe
bien, parce que
Luna-Belle est
un peu angoissée à
l'idée de se retrouver
face à une **créature**
inconnue. Sabrina
aussi, visiblement.
Elle se tient bien

droite, mais tout de même collée à Céleste pour se protéger.

— Je crois qu'on est seules, constate Céleste. Tant mieux. On prend la pierre, et on s'en va.

— Ou alors, dit Danaé, on vérifie si notre voleur s'est réfugié dans cette petite cavité…

La fée des **nuages** lève un doigt en direction d'un étroit passage entièrement plongé

dans la pénombre.
L'endroit ferait une
excellente cachette
de dernière minute.

– ALLÔ !

crie Céleste. Est-ce
qu'il y a quelqu'un ?
Montrez-vous, si
vous êtes courageux !

Le silence s'installe,
et les secondes
s'écoulent en
douceur. Céleste,
Luna-Belle, Sabrina
et Danaé patientent
sans dire un mot,
l'œil aux aguets,
le cœur battant.
Elles s'attendent

toutes à ce qu'une créature surgisse subitement devant elles… mais au lieu de cela, c'est une toute petite voix qui se fait entendre :

– J'ai peur, papa…

Chapitre 8

Sors de ta cachette, « MÉCHANT » voleur !

Luna-Belle est sous le choc. La petite voix a-t-elle bien dit « papa » ? Il s'agirait donc d'un père et de son enfant ? Mais qu'est-ce que ces gens peuvent bien faire à l'intérieur d'un volcan ?

Curieuse d'en savoir plus, la jeune fille avance sur la pointe des pieds.

— Vous pouvez sortir de votre cachette, murmure-t-elle doucement. On ne vous fera pas de mal.

Mes amies sont un peu spéciales, mais elles sont **très gentilles**, vous allez voir. Je m'appelle Luna-Belle. Et vous ?

Tout le monde tend l'oreille dans l'attente d'une réponse.

Elle ne vient pas.
Au lieu de cela,
la voix s'adresse à
nouveau à son père :

— C'est quoi, cette
créature, papa ?
Pourquoi est-elle
si mini ? Et pourquoi
marche-t-elle

sur deux pattes ?
Où est sa queue ?

— Ça, mon chéri,
c'est un humain.

— Oh… alors,
c'est vraiment
ÉTRANGE,
un humain.

Est-ce que je peux
m'approcher?

— D'accord,
mais sois prudent.

Luna-Belle est
de plus en plus
curieuse. Elle fronce
les sourcils et

aperçoit une jolie tête qui sort de l'obscurité.

— Je n'y crois pas, souffle Céleste avec émotion. Un bébé licorne... C'est la première fois depuis **DES ANNÉES**

que je vois
une **créature**
de mon espèce…

L'instant est magique.
L'animal avance pour
faire la connaissance
de ses invités.
Tout doucement,
sans gestes brusques.

Il s'approche
de Luna-Belle et
de Sabrina, et
les renifle de la tête
aux pieds. Il éternue
un petit coup,
ce qui fait rire
les deux fillettes,
et se dirige ensuite
vers Danaé.

— Bonjour, mon beau, le salue la fée des **nuages** en lui caressant le cou. Comment t'appelles-tu?

— Topaze.

— Eh bien, je suis très contente de

te rencontrer,
mon cher.

— Moi aussi.

Topaze continue
son inspection.
Il fait quelques
pas vers Céleste, et
l'observe de ses yeux
émerveillés. Il frotte

son museau contre son pelage soyeux et colle une oreille sur sa poitrine pour écouter son cœur.

Luna-Belle voit bien que son amie licorne est émue par ce petit être tout noir. Elle sourit

gentiment et penche
la tête pour humer
son odeur.

— Je l'aime bien,
celle-ci, papa, déclare
Topaze. Tu devrais
lui dire « bonjour ».

Luna-Belle étire
le cou pour tenter

d'apercevoir l'autre licorne. L'animal sort timidement de la pénombre. Céleste semble intriguée. Elle avance à son tour pour aller à sa rencontre. Les deux bêtes se retrouvent face à face et se saluent

d'un mouvement
de tête.

— Qui êtes-vous ?
demande finalement
Céleste.

— Je m'appelle Rubis.
Et vous ? **Pourquoi**
êtes-vous ici ?

— Nous sommes venues récupérer la pierre éclatante.

Voyant que la licorne **ne comprend pas** de quoi il est question, Luna-Belle lui explique :

— Il s'agit de l'objet qui crée ce puissant **arc-en-ciel** et qui donne vie aux couleurs environnantes.

— Quoi ? lâche Rubis en se précipitant sur la pierre magique pour la cacher au creux de son aile.

Non ! ELLE EST À NOUS !

Si vous la prenez, mon fils risque de **MOURIR !**

Chapitre 9

Vole, petite licorne !

Luna-Belle n'est pas certaine d'avoir bien entendu. Rubis a-t-il vraiment dit **« mourir »** ? Comment une petite pierre comme celle-ci peut-elle être **si puissante** ?

— Et si on commençait par le début ? propose Danaé d'une voix calme. J'aimerais beaucoup connaître votre histoire.

— Oui, je veux bien, répond Rubis en s'approchant

de son fils. Tout a
commencé l'année
dernière, alors que
Topaze venait à
peine de naître. Nous
vivions avec sa mère,
une merveilleuse
licorne nommée
Saphir, aux yeux plus
bleus que

le ciel. Nous étions très heureux, tous les trois. Un jour, alors que nous volions paisiblement, un sorcier **diabolique** a tenté de nous arracher nos cornes.

– quoi ?

s'écrie Céleste, horrifiée. Mais c'est **TERRIBLE !** Pourquoi faire une chose pareille ?

— Il voulait les utiliser pour fabriquer ses potions magiques.

Évidemment,
nous nous sommes
défendus. Le sorcier
s'est mis **en colère.**
Il a tué Saphir, et
il a jeté un mauvais
sort à mon fils.

Luna-Belle n'en croit
pas ses oreilles.
Cette histoire est

si triste qu'elle sent les larmes lui monter aux yeux.

— Quel genre de mauvais sort ? demande Danaé. Je m'y connais en magie. Il est possible que je puisse vous aider.

— J'en doute, répond Rubis. J'ai tout essayé pour en annuler les effets. Depuis ce jour malheureux, les rayons du soleil **BRÛLENT** le pelage de Topaze. Il est condamné à vivre **DANS LE NOIR** pour

le reste de ses jours.
Voilà pourquoi nous
nous cachons dans
cet endroit, à l'abri
de la lumière.

— Et voilà pourquoi
vous avez volé
la pierre éclatante,
dit doucement
Luna-Belle.

— Oui, je voulais
qu'il ait droit
à un peu de couleur,
lui aussi. En plus,
cette lumière lui
procure une énergie
étonnante. Bon,
j'ai peut-être exagéré
en affirmant
qu'il risquait de
mourir si vous

repreniez la pierre, mais c'est **très difficile** de vivre dans l'obscurité. J'espère que vous ne m'en voulez pas trop.

— Bien sûr que non, le rassure Danaé, mais il va falloir trouver

une solution.
Le monde **ne
peut pas** être
privé de couleurs
indéfiniment.

– LE MONDE ?
répète Rubis, étonné.
Qu'est-ce que vous
voulez dire ?

— En vous emparant de cet objet, vous avez dérobé les couleurs de **LA PLANÈTE ENTIÈRE**, explique tristement Céleste.

— Je… je ne savais pas, marmonne

la licorne en secouant la tête de gauche à droite. Je souhaitais seulement apporter un peu de réconfort à mon fils.

— C'est tout à fait compréhensible, murmure Danaé.

Et j'ai peut-être une idée pour déjouer le sort du sorcier, ajoute-t-elle avec un grand sourire.

— **Ah oui ?**

— Oui, je pense que ça vaut le coup d'essayer.

Topaze semble bien réagir à la lueur créée par **l'arc-en-ciel**.

— Absolument. Contrairement au soleil, ces rayons-ci sont sans danger pour son pelage.

– Parfait !
Ils sont dotés

de pouvoirs insoupçonnés. Je crois qu'ils vont même le protéger.

Danaé demande à Rubis de poser la pierre au sol et de lui donner un grand coup de sabot.

La licorne hésite
un moment, de peur
de faire une gaffe,
mais finit par obéir.

Luna-Belle sent
un frisson lui
parcourir le corps.

Elle espère que l'objet
est toujours en état
de fonctionner,
sinon, ça sera
LA CATASTROPHE !

— Voyez-vous, dit
Danaé en s'emparant
d'un des fragments
qui se sont détachés,
ce morceau est aussi

puissant que la pierre elle-même.

La fée des nuages arrache trois brins de la crinière de Topaze, et confectionne une longue tresse. Elle y fixe l'éclat de pierre et l'attache autour du cou du bébé licorne, comme un collier. Puis, elle recule d'un pas pour observer le résultat.

— **C'est parfait !**
Allons dehors, maintenant.
Il faut vérifier si c'est efficace.

Topaze et Rubis sont inquiets, ça se voit sur leur visage. Néanmoins, ils ont tellement envie de se débarrasser de cette **TERRIBLE MALÉDICTION** qu'ils sont prêts à tout pour y parvenir.

Céleste s'élance
la première, avec
Luna-Belle et Sabrina
sur son dos. Elle est
suivie de près par
Danaé, ainsi que par
le père et son fils.
Tout le monde vole
en douceur, sans
se presser, pour voir

comment la lumière
du jour affecte
Topaze.

Plus il monte, plus
le bébé licorne
semble heureux.
Il sourit, il virevolte
dans tous les sens et
éclate de rire

en faisant bouger ses ailes. Luna-Belle a même l'impression que ses poils sont en train de changer de teinte…

Au bout d'un certain temps, les rayons frappent directement

le corps de Topaze…
qui n'est plus noir
DU TOUT !

– **OH !** s'écrie
Luna-Belle. Regarde
comme tu es beau !

La petite bête baisse
la tête et constate

que son pelage revêt maintenant une jolie couleur dorée, aussi brillante qu'une pierre précieuse. Non seulement le soleil n'a plus aucun effet néfaste sur lui, mais il lui redonne tout son éclat.

— Je suis sauvé !
s'exclame Topaze
d'un air enjoué.
Et je suis plus
resplendissant
que jamais !

Chapitre 10

La fin d'une AVENTURE...
le début d'une autre ?

On peut dire que la nuit a été bien occupée pour Luna-Belle et Sabrina.

Les deux fillettes sont épuisées, mais heureuses. Non seulement elles ont réussi à retrouver la pierre éclatante,

mais elles l'ont ramenée au royaume des fées des **nuages**, **EN PLUS** de sauver Rubis et Topaze. Tout est bien qui finit bien !

Luna-Belle aurait bien aimé que

ses nouveaux amis viennent habiter avec elle dans sa chambre, mais Topaze est **si content** d'être sorti de sa cachette qu'il souhaite explorer le monde avec son père.

Qui pourrait lui
en vouloir ?

Les deux licornes
ont tout de même
promis à Luna-Belle
de lui rendre visite
de temps en temps,
au plus grand plaisir
de Céleste, qui a

quelque peu rougi
quand Rubis lui a
donné un baiser
sur la joue avant de
la quitter.

Maintenant que
son **aventure**
est terminée, Luna-
Belle pose la tête
sur son oreiller,

complètement
épuisée.

— C'était une sacrée
nuit, hein ? chuchote
Sabrina, couchée
sur un petit lit à côté
du sien.

— Oh oui.
Une sacrée nuit.

— Tu crois qu'on a rêvé ? Je veux dire… je suis **si fatiguée** que je pourrais bien être en train de rêver. Qu'est-ce que tu en penses ?

— C'était bien réel, marmonne

Luna-Belle,
les yeux brillants.
Et je pense aussi
qu'il y a encore
plein de
nouvelles
histoires
qui nous attendent.

— J'ai hâte… dit
Sabrina en bâillant.
Bonne nuit,
Luna-Belle.

— Bonne nuit,
Sabrina.

Et c'est ainsi que
les deux amies

sombrent dans
un sommeil
rempli de rêves
incroyablement
magiques.

En quoi consistera
leur prochaine
aventure, à ton avis ?

GLOSSAIRE

À fond de train :
rapidement,
à toute vitesse

Aggraver :
rendre plus grave,
empirer

Apaiser : calmer

Cavité :
ouverture, espace
vide à l'intérieur
de quelque chose

Chaussée :
rue, route

Cheminée (d'un volcan) :
longue ouverture
qui permet à la lave
de s'écouler

Déployer :

ouvrir très grand

Déprimant :

ennuyeux, maussade

Dérober :

voler, s'emparer

Désapprobateur :

qui n'approuve pas

Dévier:

changer de direction

Ébloui:

aveuglé par
une lumière vive

Égarer:

perdre

Empoigner:

saisir fermement

Faveur :

service, avantage

Fouillis :

pagaille, désordre

Fragment :

morceau brisé

Frousse :

peur

Indéfiniment :

sans cesse, sans fin

Insoupçonné :

inattendu

Intersection :

croisement de deux routes

Malédiction :

malheur, mauvais sort

Mettre en péril : mettre en danger

Optométriste : spécialiste de la santé des yeux

Parsemé : recouvert par endroits

Périmé :

qui n'est plus très frais

Réfugié :

caché en toute sécurité

Resplendissant :

qui brille

Riposter :

répondre rapidement

Sang-froid :

contrôle, calme

S'emparer :

saisir

S'enquérir :

chercher à savoir

Se volatiliser :

disparaître

Sombrer:

plonger, disparaître

Terne:

sans éclat

Tracasser:

tourmenter, causer
du souci

Trotter:

avancer
(pour un cheval)

Tu as aimé l'histoire
de Céleste et Luna-Belle?
Tu as envie d'écrire
à Geneviève pour lui donner
tes commentaires ou lui
poser des questions?
Voici son adresse.
Elle se fera un plaisir
de te répondre.
genevieveguilbaultlivre@gmail.com

Rejoins LA GRANDE famille

ANDARA

Abonne-toi
à notre
infolettre !

Retrouve-nous aussi
sur Facebook et Instagram !